JN084190

よまにゃ
にちにち帳

集英社文庫

デザイン / 徳野佑樹
イラストレーション / Noritake
プランナー / 関谷拓巳

🐱 集英社文庫

よまにゃにちにち帳

2021年6月25日　第1刷　　　　　　　　　定価はカバーに表示してあります。

発行者　　徳永　真
発行所　　株式会社　集英社
　　　　　東京都千代田区一ツ橋2-5-10　〒101-8050
　　　　　電話　【編集部】03-3230-6095
　　　　　　　　【読者係】03-3230-6080
　　　　　　　　【販売部】03-3230-6393（書店専用）

印　刷　　図書印刷株式会社
製　本　　図書印刷株式会社

フォーマットデザイン　アリヤマデザインストア　　　　マークデザイン　居山浩二

© Shueisha 2021　Printed in Japan
ISBN978-4-08-744264-9 C0100